Maude,
la fée du
mercredi

Daisy Meadows
Texte français de Dominique Chichera-Mangione

Éditions
■SCHOLASTIC

Le palais
du Royaume
des fées

La Tour
du temps

Le lac des
quatre vents

La ville
Combo

L'aquarium
de Villerville

Le grand
magasin
de jouets

Fan'
M

La fontaine

Le studio
de danse

La
m

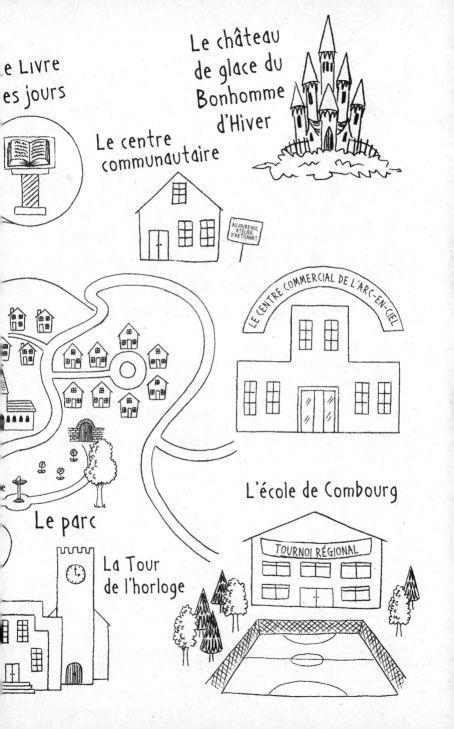

Le vent souffle et il gèle à pierre fendre!
À la Tour du temps, je dois me rendre.
Les gnomes m'aideront, comme toujours,
À voler les drapeaux des beaux jours.

Pour les humains comme pour les fées,
Les jours pleins d'éclats sont comptés.
La rafale m'emmènera où je l'entends
Pour réaliser mon plan ignoble dès maintenant!

Table des matières

Exposition d'artisanat

— C'est formidable! dit Rachel Vallée en souriant à sa meilleure amie, Karine Taillon, tandis qu'elles se promènent à l'exposition d'artisanat qui se déroule au centre communautaire de Combourg. Je ne sais pas par où commencer!

L'exposition bat son plein. Des tables en bois recouvertes de longues nappes blanches

ont été disposées pour former un grand carré,
et sur chaque table se trouvent différents
articles d'artisanat.

Sur une table, Rachel et Karine
aperçoivent des piles de tissus de velours, de
satin et de soie pour faire des courtepointes,
et des aiguilles à tricoter et des paniers remplis
de pelotes de laine moelleuse sur une autre.

Dans un coin, un homme fait une démonstration d'origami et dans un autre, la mère de Rachel, Mme Vallée, explique en quoi consiste le montage d'un album-souvenir. À chaque table, un espace est réservé pour permettre aux gens de mettre leurs talents à l'essai et il y a déjà de longues files devant certaines d'entre elles.

— C'est formidable, n'est-ce pas? dit
Karine en regardant autour d'elle. De plus, je
crois qu'avec tellement de tissus et de papiers
de toutes les couleurs, ce serait l'endroit
parfait pour trouver un des drapeaux des fées
des jours de la semaine!

— Tu as raison! répond Rachel. Nous
sommes aujourd'hui mercredi, donc nous
devrions chercher le drapeau de Maude, la
fée du mercredi.

Karine et Rachel partagent un merveilleux
secret. Elles sont amies avec les fées et elles les
aident souvent lorsque le Bonhomme d'Hiver
et ses gnomes leur causent des ennuis. En ce
moment, les fillettes tentent de trouver les sept
drapeaux magiques que les fées des jours de
la semaine utilisent pour recharger leur
magie. Ainsi, chaque jour de la semaine est
une source de joie!

Le Bonhomme d'Hiver et ses gnomes ont volé les drapeaux, mais la magie des jours de la semaine a rendu les gnomes encore plus espiègles que d'habitude. Exaspéré par leurs plaisanteries, le Bonhomme d'Hiver a jeté un sort pour envoyer les drapeaux dans le monde des humains. Mais les gnomes s'ennuyaient tellement de ces moments de plaisir qu'ils sont partis en douce pour essayer de récupérer les drapeaux. À présent, les fées comptent sur Rachel et Karine pour les aider à retrouver les drapeaux… avant les gnomes.

— J'espère que nous pourrons trouver tous les drapeaux des jours de la semaine avant que je sois obligée de rentrer chez moi à la fin des vacances scolaires, dit Karine.

Puis, elle remarque que Rachel fronce les sourcils.

— Qu'y a-t-il? demande-t-elle.

— As-tu remarqué que personne n'a l'air emballé? murmure Rachel en désignant les visiteurs qui se pressent dans la salle.

Karine jette un regard autour d'elle. Rachel a raison. Même si quelques personnes sourient, personne ne semble avoir vraiment de plaisir.

— C'est parce que le drapeau du mercredi de Maude est perdu, soupire Karine.

Rachel hoche la tête.

— Et ce ne sera pas facile de trouver le drapeau avec tant de personnes dans les environs, fait-elle remarquer.

— Souviens-toi de ce que dit toujours la reine des fées, reprend Karine. Nous devons laisser la magie venir à nous.

Rachel sourit.

— Tu as raison. Quelle activité devrions-nous choisir en premier?

— Regarde, il n'y a pas de file à l'atelier des bijoux, fait remarquer Karine. Commençons par là.

Les fillettes se précipitent. La table est couverte de bracelets, de colliers

et de boucles d'oreilles, tous faits avec des perles de différentes couleurs.

— Bonjour, jeunes filles, dit l'homme qui fabrique les bijoux. Aimeriez-vous apprendre à faire des bracelets?

— Oh, oui! répond Karine.

Les deux fillettes s'assoient et l'homme
donne à chacune une paire de ciseaux, du fil
et un fermoir argenté.

— Pour commencer, coupez le
fil à la mesure de votre
poignet, explique-t-il en
sortant de sous la table une
grande boîte en plastique
avec de nombreux petits
tiroirs. Puis, enfilez ces
perles pour faire votre
bracelet. Vous pouvez
prendre les perles que
vous voulez.

Rachel et Karine mesurent chacune le
poignet de l'autre et coupent leur ficelle
tandis que l'homme s'éloigne pour parler à
quelqu'un à une autre table. Puis, elles
ouvrent les petits tiroirs avec entrain.

— Oh! Elles sont superbes! souffle Rachel en examinant les perles de différentes grosseurs et de toutes les couleurs de l'arc-en-ciel.

Les fillettes commencent à enfiler les perles. Rachel se sert de perles scintillantes de différentes tailles alors que Karine a choisi de minuscules perles roses et mauves.

Bientôt, Karine se rend compte que le tiroir renfermant les petites perles roses est presque vide. Mais elle en a besoin pour finir son

bracelet.

Elle ouvre les autres tiroirs en espérant trouver d'autres perles roses.

Soudain, son cœur se met à battre plus vite. Une légère lueur verte chatoyante tourbillonne autour d'un des tiroirs. Karine ouvre délicatement le tiroir et regarde à l'intérieur. Une petite fée lui sourit!

— Rachel, murmure Karine d'un air ravi, en poussant son amie du coude. C'est Maude, la fée du mercredi!

Trois morceaux et un drapeau

Maude semble très contente de voir les fillettes. Elle porte une robe fluide de différents tons de vert et de petites ballerines vertes.

— Bonjour, Maude, dit Rachel. Es-tu ici parce que le drapeau du mercredi est dans les parages?

Maude jette un coup d'œil prudent à l'extérieur du tiroir.

Le fabricant de bijoux est tourné de l'autre côté, en grande conversation avec la femme qui se tient près du tour de potier. Maude bondit hors de la boîte et volette devant les fillettes.

— Oui, Rachel, déclare-t-elle. Je crois que mon drapeau est ici. Et le poème dans le Livre des jours va nous aider à le trouver.

Le Livre des jours est protégé par Francis le crapaud, le gardien royal. Chaque matin, Francis vérifie le jour de la semaine dans le Livre des jours, puis hisse le drapeau correspondant au sommet du mât situé en haut de la Tour du temps. Lorsque le soleil frappe le drapeau, il darde ses rayons magiques sur la cour où une fée attend pour charger sa baguette avec la magie des jours de la semaine. Depuis que les drapeaux ont été volés, des poèmes donnant des indications sur l'endroit où se trouve chaque drapeau sont apparus par magie dans le Livre des jours.

— Récite-nous le poème, Maude, s'empresse de dire Karine.

Maude se met à réciter :

Une piste de paillettes et de boutons
Vous mènera aux trois pièces recherchées.
Le tout elles formeront
Et le mercredi sera plein de gaieté.

— Trois pièces recherchées, répète Rachel. Qu'est-ce que cela signifie?

— Je ne sais pas, réplique Karine, mais je crois que la première partie signifie que nous

devons suivre une piste de paillettes et de boutons.

Maude acquiesce d'un signe de la tête.

— Mais avant tout, laissez-moi finir les bracelets à votre place.

Elle lève sa baguette et une pluie d'étincelles vertes se dépose sur les deux bracelets. Aussitôt, sous l'effet de la magie, d'autres perles apparaissent et les fermoirs claquent.

En voyant revenir le fabricant de bijoux, Maude s'empresse de se cacher dans la poche de Rachel. Pendant ce temps, les fillettes essaient leur bracelet.

— Regarde, murmure Maude.

Depuis la poche de Rachel, Maude pointe sa

baguette vers le sol et s'exclame :

— Un scintillement!

Rachel et Karine baissent les yeux et voient un petit amas de paillettes dorées sur le sol, près de la table où sont présentés les bijoux.

— Ce n'est pas vraiment une piste de paillettes, dit Karine dans le doute, ce n'est qu'un petit amas de paillettes.

— Il y a un bouton et quelques rubans tout près, fait remarquer Maude.

— Et un autre petit tas de paillettes un peu plus loin, ajoute Rachel.

Les fillettes remercient le fabricant de bijoux, puis se précipitent vers le deuxième amas de paillettes. Elles peuvent voir à présent une piste de paillettes, de boutons, de rubans, de tissus et de perles.

— Où cela mène-t-il? chuchote Maude d'un ton pressant.

Rachel et Karine suivent la piste de paillettes avec intérêt. Elle les mène directement à la table où sont exposées les courtepointes. Plusieurs personnes y sont occupées à coudre des carrés de tissu aux couleurs brillantes sur une magnifique courtepointe en patchwork.

À ce moment-là, une femme pose son
aiguille et saisit un nouveau morceau de tissu.
Rachel et Karine remarquent que les carrés
de tissu sont empilés avec
soin sur un côté de
la table. Un
magnifique
carré doré avec
des taches
scintillantes est
placé sur le
dessus d'une
des piles.

Rachel donne un coup de
coude à Karine.

— Le motif de ce tissu doré ressemble à
celui des drapeaux des jours de la semaine,
murmure-t-elle. Mais ça ne peut pas être le
drapeau de Maude, n'est-ce pas?

— Je ne le crois pas, dit Karine en fronçant

les sourcils. Ce morceau de tissu semble beaucoup plus petit que les autres drapeaux que nous avons retrouvés.

Maude sort la tête de la poche de Rachel pour regarder le tissu doré. Aussitôt qu'elle le voit, un grand sourire éclaire son visage.

— C'est mon drapeau! chuchote-t-elle. Bon, une partie de mon drapeau en fait.

Vous souvenez-vous du poème?
« Vous mènera aux trois pièces recherchées.
Le tout elles formeront... » Mon drapeau doit
être en trois morceaux.

— Oh, non! s'exclame Karine, horrifiée.
Tu veux dire que le drapeau est abîmé?
Qu'allons-nous faire maintenant?

Des gnomes espiègles

— Ne vous inquiétez pas, s'empresse de répondre Maude. Il suffit que nous retrouvions les trois morceaux et je pourrai utiliser ma magie pour que le drapeau redevienne comme neuf.

Les trois amies observent fixement le morceau du drapeau qui est mélangé avec les autres tissus. La femme qui s'occupe de cet

atelier les aperçoit et sourit.

— C'est un beau tissu, n'est-ce pas? lance-t-elle.

Rachel hoche la tête tandis qu'une idée lui vient.

— Croyez-vous que je puisse l'avoir pour un projet que je suis en train de réaliser? Je le paierai.

— Mais bien sûr, tu peux le prendre, ma belle, répond la femme. Je crois que nous avons d'autres morceaux de ce même tissu quelque part.

Elle se détourne et se met à chercher sur la table.

Karine et Rachel échangent un regard joyeux. Vont-elles vraiment retrouver les trois morceaux du drapeau de Maude en une seule fois? Mais, au grand désarroi des deux fillettes, la femme revient les mains vides.

— Je suis désolée, dit-elle en fronçant les sourcils. J'avais un grand morceau que j'ai coupé en début de journée, mais je ne trouve plus les autres morceaux.

Elle saisit le morceau du drapeau et le tend à Rachel.

— Nous ne l'avons pas encore utilisé pour la courtepointe et je ne sais donc pas où sont passés les autres morceaux.

— Merci, dit Rachel avec reconnaissance, en rangeant avec soin le tissu dans sa poche.

Puis, elle se retourne vers Karine d'un air anxieux et demande :

— Mais où allons-nous chercher les autres morceaux?

Karine regarde fixement le sol.

— Tout va bien, dit-elle à Rachel. La piste de paillettes continue. Regarde!

— Ah, très bien! répond Rachel en poussant un soupir de soulagement.

— Allons-y! ajoute Maude.

Les amies s'empressent de suivre la piste scintillante de paillettes. Parmi les paillettes, elles voient des crayons cassés, des perles et des fils de broderie. Cette fois, la voie les mène jusqu'à la table d'origami, où les gens apprennent à plier des feuilles de papier en leur donnant la forme de poissons, de fleurs et d'oiseaux.

— Karine, la piste de paillettes passe sous la nappe! murmure Rachel.

— Crois-tu que la piste continue sous la table? demande Karine.

Rachel soulève un coin de la nappe pour vérifier. À sa grande surprise, elle voit quatre grands pieds verts qui passent en courant. Des gnomes! Elle soulève doucement la nappe et aperçoit deux gnomes. Ils transportent de grandes piles de tissu, de papier et de colle. Heureusement, ils sont trop occupés à se parler à voix basse d'un air joyeux pour remarquer Rachel.

Ils déambulent rapidement sous la rangée

de tables, parfaitement à l'abri des regards
derrière les longues nappes.

— Il y a des gnomes sous les tables!
murmure Rachel.

Karine ouvre de grands yeux et Maude, qui
jette un coup d'œil hors de la poche de
Rachel, laisse échapper une exclamation.

—Je parie qu'ils sont là pour faire des bêtises! s'écrie Karine.

—Ils cherchent probablement le drapeau du mercredi! ajoute Maude. Ils ont peut-être quelques-uns des morceaux qui manquent.

—Nous ferions mieux de les suivre, suggère Karine. Mais nous devons prendre la taille des fées pour pouvoir le faire.

Rachel regarde autour d'elle.

—Il y a trop de monde ici, dit-elle. Quelqu'un pourrait nous voir!

—Regardez là-bas, murmure Maude en pointant sa baguette. Il y a une cabine d'essayage.

—Parfait! s'écrie Karine.

Elles se précipitent derrière le rideau en veillant à ce que personne ne les voie.

Aussitôt, Maude quitte la poche de Rachel en volant et disperse de la poudre magique étincelante sur les fillettes. En un clin d'œil, Rachel et Karine se transforment en minuscules fées aux ailes brillantes.

— Maintenant, nous devons voler bas, les avise Maude, et aller sous la table la plus proche aussi vite que possible!

Les fillettes suivent Maude qui sort de derrière le rideau en voletant et en évitant les jambes des personnes rassemblées devant la table de couture. Finalement, elles filent sans problème sous la nappe et hors de vue.

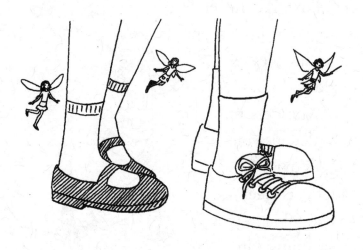

— Par ici, dit Rachel en désignant la direction dans laquelle sont partis les gnomes.

Elles volent lentement sous le carré formé par les tables, en prenant soin d'éviter les boîtes et les sacs qui y sont entreposés.

— J'entends ricaner,
murmure Karine.

Maude acquiesce d'un
signe de tête.

— C'est le ricanement
d'un gnome, affirme-t-elle.

Elle fait un signe aux
fillettes et elles se
précipitent derrière une
grande boîte de rangement
en plastique. Puis, elles sortent discrètement la
tête de leur cachette pour observer.

Les gnomes sont assis sous la table suivante.
Ils ont ramassé toutes sortes de tissus qu'ils
collent sur un grand carton. Maude et les
deux amies s'aperçoivent que des boutons,
des perles, de la laine, des morceaux de tissu
et du papier de différentes couleurs sont
éparpillés autour d'eux.

— Les gnomes font un collage! murmure Maude.

Les gnomes s'amusent comme des fous en fouillant dans les fournitures. Ils bavardent gaiement en mettant de côté les choses dont ils ne veulent pas.

Des boutons, des perles, des morceaux de papier coloré volent dans les airs. Un des gnomes lance un morceau de papier rose et argenté, qui retombe sur le sol aux pieds de

Karine. Il s'agit d'un magnifique papillon provenant de l'atelier d'origami.

— Regardez! souffle Rachel d'un ton animé, en montrant du doigt la pile de fournitures des gnomes. Je vois un autre morceau du drapeau du mercredi!

La chasse au papillon

Karine et Maude regardent et voient le morceau de tissu doré chatoyant parmi les choses des gnomes.

— Voilà pourquoi les gnomes ont tellement de plaisir! s'écrie Maude.

Rachel fronce les sourcils.

— S'ils savaient qu'ils avaient une partie du drapeau, ne la protégeraient-ils pas

jalousement? dit-elle d'un air songeur.

— Tu as raison! acquiesce Maude. Les
gnomes sont tellement bêtes qu'ils ne réalisent
pas qu'ils ont une partie de mon drapeau!
Nous allons peut-être pouvoir le récupérer
sans qu'ils s'en rendent compte.

— Nous devons détourner leur attention
pour pouvoir l'attraper! lance Karine.

Elle jette un coup d'œil sur le papillon de
papier qui se trouve à ses pieds.

—J'ai une idée!

À voix basse, Karine s'empresse d'expliquer
son plan à Maude. La fée sourit et lève sa
baguette, ce qui a pour effet d'envoyer
quelques étincelles de magie sur le papillon
délicat.

Karine et Rachel
observent le papillon
rose et argenté qui se
met à battre des ailes.
Puis il s'élève dans les
airs et se dirige
gracieusement
vers les gnomes.

Le premier
gnome lève les
yeux vers le papillon
qui s'approche. Il
écarquille les yeux
et donne un coup de

coude dans les côtes de l'autre gnome.

— Regarde, un papillon!

Le deuxième gnome lève les yeux à son tour et voit le papillon.

— Oh, oui! souffle-t-il. Regarde ses ailes brillantes.

Perdant tout intérêt pour leur collage, les deux gnomes sautent sur leurs pieds et se lancent à la poursuite du papillon qui s'éloigne en voletant.

— Venez! murmure Maude.

Les amies se précipitent vers le tas de perles et de boutons.

Maude agite sa baguette au-dessus du

morceau de drapeau et il rétrécit aussitôt
pour permettre à Rachel de le cacher dans sa
poche.

— Maintenant, nous avons deux
morceaux! s'écrie Rachel d'un ton joyeux.

Les gnomes n'ont pas remarqué la présence
des fillettes.

Ils sont toujours trop occupés à essayer
d'attraper le papillon.

— D'où viens-tu, papillon? demande le
premier gnome en essayant encore.

Cette fois-ci, il réussit à le capturer, mais
dès qu'il le touche, la magie de Maude
disparaît et le papillon redevient une simple
feuille de papier.

Maude et les fillettes ne peuvent
s'empêcher de rire
devant l'air confus
des deux gnomes.

— Tu l'as
cassé! se lamente
le deuxième gnome.

Le premier gnome
déplie la feuille de papier
en se grattant la tête et essaie de comprendre
ce qui faisait voler le papillon.

— Que fait-on maintenant? demande
Karine.

— Regardez, souffle Maude en pointant sa
baguette vers le sol.
La piste de paillettes
va plus loin!

   Les fillettes et
Maude volent en
suivant la piste.
Arrivées à un coin,
elles aperçoivent
soudain deux autres
gnomes devant elles! Ils avancent d'un air
joyeux, en discutant et en ricanant. L'un
d'entre eux tient le dernier morceau du
drapeau du mercredi!

Une impression profonde

En un éclair, les amies plongent derrière un grand sac d'où elles peuvent observer les gnomes.

— Bon, nous avons un morceau du drapeau, mais comment allons-nous récupérer les autres morceaux? dit le premier gnome.

— Les autres sont trop occupés à s'amuser pour chercher les morceaux qui manquent, ricane le deuxième gnome.

— Nous ferions mieux d'aller leur rappeler ce qu'ils doivent faire.

Puis, il sourit.

— Nous allons nous glisser derrière eux et crier HOU! Ils vont avoir une peur bleue!

— Oh, quelle bonne idée! s'exclame le deuxième gnome en éclatant de rire.

Ensuite, les gnomes s'éloignent pour aller chercher leurs compères.

— Ce morceau de drapeau explique pourquoi ils ont tant de plaisir! murmure Maude. Nous devons absolument le récupérer!

Rachel et Karine réfléchissent pour trouver une solution.

Soudain, le visage de Rachel s'éclaire.

— Nous pouvons tenter de distraire ces deux gnomes en les aidant à s'amuser encore plus, dit-elle. En volant, j'ai vu un gros bac rempli d'argile sous la table où sont présentées les sculptures. Si nous pouvons amener les gnomes à faire des empreintes de leurs mains, ils seront obligés de poser le drapeau.

— C'est une bonne idée! s'exclame Maude.

— Nous devons vite retourner à la table des sculptures, fait remarquer Karine. Les gnomes ont déjà pris de l'avance sur nous!

— Comment allons-nous faire pour les dépasser sans qu'ils nous voient? demande Rachel.

— Nous pourrions sortir de là, suggère

Maude, voler très vite le long des tables et,
après avoir dépassé les gnomes, plonger de
nouveau sous les tables. Nous devons juste
faire en sorte que personne ne nous voie.

Rachel et Karine hochent la tête et suivent
Maude hors de leur cachette sous les tables.
La petite fée vole à une telle vitesse qu'elle
paraît floue. Rachel et Karine se précipitent à
sa suite. Elles louvoient
entre les gens qui se
tiennent autour des
tables en évitant de
buter contre leurs
jambes.

Finalement, Maude
se glisse sous la table
des sculptures, suivie de
près par les fillettes.

Le gros bac d'argile
que Rachel avait

repéré est toujours là. Karine entend les gnomes qui approchent.

— Nous avons réussi, souffle Karine. Voilà les gnomes!

— Dispute-toi avec moi, Karine, dit Rachel à voix basse.

Puis à voix haute elle s'écrie :

— Je veux y aller la première!

— Non, c'est moi! J'y vais en premier! proteste Karine en faisant semblant de lancer des regards furieux à Rachel.

Les gnomes les entendent et les observent avec curiosité.

— Il est très important d'être la première,
dit Maude. Ce devrait être moi.

— C'était mon idée. C'est moi qui
commence, proteste Rachel.

— Non! C'est moi! lance un des gnomes en
s'avançant et en écartant Rachel d'un coup
de coude.

— Non, moi! crie le gnome qui tient le

drapeau en suivant son ami.

— Puis, il regarde fixement l'argile d'un air perplexe et demande :

— Que faites-vous?

— Nous mettons nos mains dans l'argile pour faire des empreintes, explique Karine.

— Essayons! souffle le premier gnome à son ami.

Mais celui-ci secoue la tête fermement.

— Je ne peux pas, marmonne-t-il en serrant le morceau de drapeau dans sa main. Je dois tenir ceci.

Karine et Rachel sont consternées, mais à ce moment-là, Maude les rejoint.

— Pourquoi ne faites-vous pas cela avec vos pieds? suggère-t-elle. Ainsi, vous n'aurez pas à lâcher quoi que ce soit.

Le visage du gnome s'éclaire.

— Oh, oui!

Les deux gnomes grimpent précipitamment sur le bord du bac.

— À trois, s'écrie Karine. Un, deux, TROIS!

Les gnomes sautent dans l'argile et atterrissent avec un grand plouf avant de s'enfoncer.

Aussitôt, Maude agite sa baguette et la poudre magique tourbillonne autour du bac.

— Hé! crie le premier gnome en essayant de lever un de ses pieds. Je ne peux pas bouger!

— L'argile a durci! rugit le deuxième gnome, furieux, en se balançant pour essayer de s'échapper. Vous nous avez joué un tour!

En riant aux éclats, Rachel et Karine volent jusqu'à lui et lui retirent aisément le morceau de tissu de la main.

Les deux gnomes crient et grondent, mais ils ne peuvent rien faire pour arrêter les fillettes. Maude fait appel à sa magie pour rétrécir le morceau de drapeau et Rachel le glisse dans sa poche avec les autres morceaux.

— Nous avons enfin récupéré les trois morceaux de mon drapeau! déclare Maude, les yeux brillants de bonheur.

Leur plan a fonctionné à merveille.

L'atelier de peinture

— Laissez-nous partir! crient les gnomes en colère alors que Maude et les fillettes s'éloignent en volant.

— Mon sort sera rompu dans quelques minutes, dit Maude à Rachel et Karine. Cela va me laisser le temps de réunir les morceaux de mon drapeau et de le ramener au Royaume des fées.

Dès qu'elles sont en sécurité, hors de vue des gnomes, elles s'arrêtent. Rachel sort les morceaux de drapeau de sa poche et, avec l'aide de Karine, elle les étend soigneusement sur le sol. Puis Maude agite sa baguette. Dans un éclair d'étincelles magiques de toutes les couleurs de l'arc-en-ciel, le drapeau retrouve sa forme entière.

— On ne dirait jamais qu'il a été coupé en morceaux! dit Rachel en regardant attentivement le magnifique drapeau.

Maude secoue la tête d'un air ravi, puis elle ajoute avec un grand sourire :

— Je dois vous redonner votre apparence humaine pendant que nous sommes hors de vue, les filles, dit-elle. Faites attention de ne pas vous cogner la tête.

D'un autre coup de
baguette magique,
Maude redonne à
Rachel et à Karine leur
taille normale. Les fillettes,
en position accroupie,
essaient de ne pas se cogner
aux tables.

— Merci, mes amies,
dit Maude. Je dois retourner
au Royaume des fées à présent, et recharger
ma baguette, mais je reviendrai très bientôt!

Sur ce, elle disparaît dans un tourbillon de
poudre magique.

Rachel et Karine sortent discrètement de
leur cachette et se relèvent en espérant que
personne ne les a remarquées.

— Les filles! s'écrie Mme Vallée.

Rachel et Karine lèvent les yeux et
aperçoivent la mère de Rachel qui les
regarde d'un air étonné.

— Que faites-vous sous ma table?

Rachel et Karine s'adressent un
sourire. Elles ne s'étaient pas
rendu compte qu'elles étaient sous
la table de la mère de Rachel!

— Nous aidions à ranger,
s'empresse de répondre Rachel en
s'emparant d'une paire de ciseaux
qu'elle avait remarquée sur le sol.

— Nous avons fait des bracelets, ajoute
Karine en se relevant et en montrant le sien à
la mère de Rachel.

— Oh, il est beau! s'exclame Mme Vallée.

Elle l'examine de près, puis elle jette un
coup d'œil à sa montre.

— Vous savez, il reste encore une heure
avant la fermeture de l'exposition. Pourquoi
n'allez-vous pas essayer quelque chose
d'autre?

— D'accord, répond Rachel. Viens, Karine!

— Qu'allons-nous essayer maintenant? demande Karine alors qu'elles font le tour de la salle.

— J'ai toujours voulu essayer d'utiliser un tour de potier, dit Rachel. Ou alors, que penses-tu de la broderie?

— Les deux me semblent bien intéressants, répond Karine. J'espère seulement que Maude a pu recharger sa baguette!

Pstt! Un murmure pressant se fait entendre.

Rachel et Karine s'arrêtent et regardent autour d'elles. Puis, voyant une légère lueur de magie des fées autour d'une des nappes, elles se penchent et en soulèvent le coin. Maude volette sous la table où sont exposées les

broderies.

— Regardez, les filles! souffle-t-elle.

Elle agite plusieurs fois sa
baguette. Karine et Rachel voient
un flux d'étincelles magiques se glisser
sous les tables, tourbillonnant et se
faufilant de l'une à l'autre.

— J'ai rechargé ma baguette
avec la magie des jours de la semaine.
Mercredi sera maintenant une journée
remplie de plaisir!

Karine et Rachel se lancent un regard
brillant de satisfaction.

— Au Royaume des fées, tout le monde
était excité, ajoute Maude. Le roi, la reine et
Francis m'ont dit de vous remercier pour
votre aide! À présent, je dois m'en aller, mais
(elle fait un clin d'œil aux fillettes) ce serait
une bonne idée d'essayer de peindre des
modèles réduits avant de rentrer chez vous.

Au revoir!

Et, dans un grand tourbillon de poudre magique, Maude disparaît.

— Peindre des modèles réduits? dit Rachel en parcourant la salle des yeux. Où est-ce qu'on peut faire ça?

— C'est la table à côté de l'atelier d'origami, répond Karine en la montrant du doigt.

Les fillettes se précipitent vers la table où des gens assis peignent des modèles d'oiseaux et d'animaux.

— Bonjour, jeunes filles, dit la responsable de cette table en souriant. Voulez-vous vous joindre à nous? Voilà quelques tubes de peinture pour vous. Je vais aller voir les modèles qu'il nous reste.

Rachel et Karine trouvent deux places libres. La dame revient quelques minutes plus

tard, l'air un peu perdue.

— Étrange... je ne me souvenais pas de ceux-là, dit-elle. Il me semble que j'en ai beaucoup et je crois que vous les aimerez.

Elle pose deux magnifiques modèles de fées sur la table. Rachel et Karine n'en croient

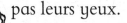

pas leurs yeux.

— Ce doit être la magie de Maude, murmure Rachel.

Karine acquiesce d'un signe de tête.

— Voici du fil métallique pour faire les ailes, ajoute la dame.

Les gens autour de la table commencent, eux aussi, à remarquer les nouveaux modèles.

— Maman, puis-je essayer? demande une petite fille.

— Moi aussi! s'empresse de crier une autre fillette.

Peu de temps après, les gens se bousculent autour de la table pour peindre les délicats modèles de fées et fixer les ailes dans leur dos à l'aide du fil métallique.

Tout le monde discute d'un ton joyeux tandis que d'autres personnes s'approchent pour les rejoindre.

— Nous ne sommes pas les seules à nous amuser, dit Rachel à Karine, tandis qu'elles finissent de peindre leur modèle dans différents tons de vert pour le faire ressembler à Maude. Regarde tous ces visages ravis!

Karine sourit.

— Oui, la magie des jours de la semaine de Maude est de nouveau à l'œuvre. J'espère que nous pourrons aussi faire de demain une journée remplie de joie en trouvant un autre drapeau!

L'ARC-EN-CIEL
magique

LES FÉES DES
JOURS DE LA SEMAINE

Lina, Mia et Maude ont récupéré
leur drapeau.
Rachel et Karine pourront-elles redonner
de l'éclat au jeudi en aidant

Julia,
la fée du
jeudi?

Des hippocampes spectaculaires

— Un récif tropical, un navire englouti, des loutres marines, des hippocampes, des crabes-araignées géants du Japon, des requins… Super!

Rachel Vallée lève les yeux de la brochure colorée qu'elle a dans les mains et adresse un sourire à son amie, Karine Taillon.

— Nous allons passer un moment

formidable!

Les deux fillettes sont venues passer la journée à l'aquarium de Villerville avec les parents de Rachel. Karine est chez Rachel pendant la semaine de vacances scolaires. Les fillettes vivent des moments très excitants. Des moments magiques, aussi!

— Nous vous retrouverons ici à quatre heures, dit Mme Vallée lorsqu'ils pénètrent dans le hall d'entrée. Amusez-vous bien!

— D'accord, répond Rachel avec enthousiasme.

Puis elle regarde les personnes qui l'entourent.

— Mais on dirait que personne ne s'amuse vraiment, chuchote-t-elle à Karine.

Karine regarde autour d'elle. Rachel a raison. Beaucoup de personnes sont venues visiter l'aquarium, mais elles ne semblent pas y prendre plaisir.

« De toute façon, je n'aime pas les poissons », entendent-elles marmonner un jeune garçon. « Pourquoi sommes-nous venus? »

Rachel et Karine se lancent un regard entendu tandis que les parents de Rachel s'écartent pour voir le premier aquarium. Elles savent très bien pourquoi l'ambiance est si morose. C'est parce que le drapeau du jeudi a disparu!

Karine se tourne vers Rachel.

— Il faut que nous trouvions le drapeau du jeudi avant les gnomes, murmure-t-elle. Nous devons redonner le moral à tous ceux qui se trouvent ici!

LE ROYAUME DES FÉES
N'EST JAMAIS TRÈS LOIN!